JimJim

y el Viaje de Frutillas

por Duane Ziegler

Illustraciones por Vari Reichardt

Traduccion por Donna Blackmer

Dedicación

Este libro esta dedicada a mi esposa Sandra para su amor y soporte,

a mis nietos para su inspiración, y a mi hermano Jim y su familia.

Jim y su familia viven cerca de Sylvan Lake, alta en las montañas Rockies.

Jim y su familia son ratones. Son muy emocionantes porque están viajando al

otro lado del lago. Han empaquetado bolsas de comida y papel de

cuaderno. Todos están felices porque Papá Ratón le ha honrado con su nombre

nuevo, JimJim.

Joe, el hermano de JimJim, pregunta, "¿Cómo te gusta tu nombre nuevo?"

"Bif, pum, pum, pum. Soy tan felíz," responde JimJim.

Papá Ratón dice," Les permitimos ir al bosque por si mismos. Espero que se

diviertan y regresen a casa sin peligro."

"Se cuiden," dice Mama Ratón.

Abrazan a sus padres y prometen tener cuidado.

Comienzan en sol brillante por el lado oeste del lago. JimJim está en frente, y Mary, Katie y Joe siguen. Después de un poco, JimJim chequea a los otros. JimJim habla a Joe, "¿ De qué tenemos qué a cuidar?"

"Siempre tenemos que cuidar a las nubes de lluvia oscuras, y sombras que muevan rápidamente. Ese se puede ser un pájaro en ataque, como un halcón," responde Joe.

Pronto oyen sonidos cerca del lago. Alguien está cantando. "Chugalug, chugalug. Soy el Señor Bicho Apesta. Me llama Sr. Bicho Apesta."

Mary, la hermana menor, ríe y dice," Estamos bastante cerca. No nos acercamos mas."

Katie, la otra hermana, hace un dibujo del Sr. Bicho Apesta.

Joe y Mary acercan al Sr. Bicho Apesta y Joe susurra algo a él. Sr. Bicho Apesta responde," Hágalo inmediatamente, porque hace poco ví Rusty el Halcón volando en esta dirección."

Joe pasa unos minutos con Sr. Bicho Apesta y entonces corre al borde del lago y puso algo en la playa del lago.

Sr. Bicho Apesta grita," Sombras de nuevo."

Joe grita en voz alta para que todos pueden oír. "Sombras bajas. Sombras bajas. ¡Es Rusty el Halcón! ¡Peligro! ¡Escondan todos!"

Todos corren a encontrar un lugar escondido. De pronto oyen las alas de Rusty el Halcón. Rusty está directamente arriba de ellos. Se zambulle y coje algo del borde del lago. JimJim grita," Ay, no. Parece que Rusty ha agarrado a Joe porque de veras es la chaqueta verde de Joe y Rusty está apretando las garras."

JimJim sale de su lugar escondido gritando. "¿Joe, porqué estaba hablando con Sr. Bicho Apesta antes? ¿Qué estaba pensando? Ahora no está aquí. ¿Porqué, porqué?"

De repente, hay gritos ruidosos de muy alto arriba del lago. Rusty chilla," Ug, ug apesta, apesta, no, no, no!" Algo cae del cielo y aterriza en el lago.

Joe sale de su escondite y comienza a aplaudir. "Lo hacemos. Lo hacemos. Engañamos a Rusty. Sr. Bicho Apesta y yo hicimos un ratón falso por enrolla mi chaqueta verde. La cubrimos con cosas apestadas de la espalda del Sr. Bicho Apesta. Según el llorando de Rusty, debe apesta muy malo. Pobre, pobre Rusty. Damos gracias al Sr. Bicho Apesta. Es nuestro héroe. Olé, olé." Todos caen en línea y dar gracias al señor.

Mary toca la brillante cáscara negra por un dedo. Katie la toca con dos dedos, y Joe hace un topetón de puños. JimJim hace un "cinco alto" con Sr. Bicho Apesta. Sr. Bicho Apesta declara, "Este es el mejor día de mi vida. Tengo amigos."

JimJim abraza a su hermano, sonríe y le dice, "Qué orgulloso estoy de ti. Bien hecho. Mejor si seguimos ahora y queden abiertas las orejas y ojos. Nunca sabe qué se puede ocurrir aquí."

JimJim dirige la familia por la senda de nuevo. Circulan un arbol grande y encuentran un ratón viejo con una barba gris. JimJim se introduce." Hola. Me llamo JimJim y estos son Joe, Mary y Katie." El ratón viejo tiene un rayo cierto en los ojos, y revuela, "Me conocen como Sr. Ratón Viejo. ¿ Me juntaron para un bocadillo?"

Sr. Ratón Viejo ha sido comiendo algo de una bolsa abierta. Sonríe y comienza a cantar, "Frutillas en mi estómago. Yumi, yumi,yumi en mi estómaguito." Y comparte con cada ratoncito un manojo de su colección de frutillas sabrosas.

Sr. Raton Viejo tiene una barba pulcra y lleva pantalones morenos. La camisa es confitado con diseño de notas musicales. También, Sr. Ratón Viejo lleva zapatos especiales. Son negros, con hebillas de plata. En cada habilla es la letra Z.

Joe, como todos, está fascinado por Sr. Ratón Viejo, y le pide," ¿Qué representa la letra Z?" Sr. Ratón Viejo responde," cuando estaba jóven, había Billy Matón, el rata. Estaba malo. Un día me robó de mis dulces. Yo usé un poco de karate y hice "pah, pah, pum, y Billy hizo "Ug, ug, ug," y vomitó por los zapatos. Mi papa estaba tan felíz que me llamo ZanderZander."

Katie y Mary dicen "Maravilloso" al mismo momento, y Katie saca un papel para hacer un dibujo del señor. Todos desean visitar con él.

En este momento, hay un relámpago. Hay truenos. El relámpago brilla tanto que JimJim y Joe cubren los ojos a protegerlos de la luz. Es un aguacerro. JimJim y Joe ven que Sr. Ratón Viejo está abrazando las hermanas. Él grita," Vamos a la cueva adelante."

Entónces, otro relámpago ciega a los niños, forzándoles a correr a los árboles para protegerse. JimJim y Joe corren más lejos entre los árboles, buscando un lugar sano. Por fin encuentran un tronco hueco de un álamo y suben adentro para quedar seco.

JimJim suspire, "Espero que Katie y Mary están seguras. Me preocupo mucho."

La mañana siguiente están de acuerdo que sí, están perdidos. Joe murmura," ¿Cómo vamos a encontrar a Katie y Mary? Estoy seguro que Sr. Ratón Viejo está con ellas."

Nada parece familiar. JimJim y Joe se sientan y comen frutillas.

En este momento, oyen un sonido. Miran arriba y ven un pájaro carpintero pícoteando en una rama alto en el árbol arriba. Cuando el pájaro les ve, tiene un mensajo de bienvenidos. "Buenos días. Soy Tony, un pájaro carpintero. Soy un pájaro carpintero downy. Tengo alas negras, estómago y espalda blancos, lineas negras en las alas y un padacito rojo en la cabeza. Mi trabajo es picateando en las ramas a encontrar túneles de insectos. Allá adentro es mi comida y estoy felíz por todo el día."

Tony el pájaro pide a los ratoncitos, "¿Son extranjeros? Nunca les ha visto antes."

" Estamos perdidos y no tenemos ni el menor idea como vamos a regresar a casa," queja JimJim.

Tony les cuenta, "Yo sé cómo" Tony picatea en una rama. Pronto ha hecho cuatro agujeros en la rama. Dice Tony," porque los insectos ya han hecho túneles, la rama está hueco. Se puede hacer sonidos por cubrir uno de los aguceros y soplar en los fines del palo."

Demuestra por cubrir un agucero y toca una nota bonita. Los ojos de los niños llenan en sorpresa. Tony entonces bloquea otro agucero y sopla de nuevo, haciendo un sonido diferente. Después de tocar la nota segunda, eleva el instrumento.

Tony explica, "Se llama una flauta y los sonidos son notas musicales."

Los ratoncitos no pueden esperar a tratar por si mismos. Así, con la ayuda de Tony, Joe baila por los aguceros mientras JimJim sopla al fin de la flauta. Sonidos musicales pronto crean una canción.

Tony explica, "Cuando los otros animales y pájaros vienen a ver que pasa con tanto ruido, encontrarán a ustedes."

Con esta noticia buena, JimJim y Joe siguen sonriendo y soplando y bailando.

Les gusta mucho hacer música de la flauta. Como ha dicho Tony, animales y pájaros curiosos comienzan acercando y acercando y acercando. Uno de estos visitantes es Alissa, una paloma. Alissa pide," ¿Son ustedes JimJim y Joe? Hay un grupo buscándoles."

Pide JimJlm, "Has visto a Katie y Mary? Están bien? "

"Si", responde ella. "Les llevo a ellas."

JimJim dice a Tony," Gracias para ayudarnos. Siempre atesoramos la flauta que hizo para nosotros." Tony sonríe y dice adiós.

Mientras tanto, en la cueva, Sr. Ratón Viejo trata de calmarse a Katie y Mary. Mary ha sido llorándose a dormir y no comiendo mucho. Katie ha sido abrazando a Mary y llorando también. Mary repite y repite, "¿Cómo vamos a encontrar a JimJim y Joe?"

Sr. Ratón Viejo, en tonos suaves, responde," Tenemos muchos amigos en el bosque. Alquien nos ayudará."

Por fin, un grupo enorme de luciérnagas vuelan por la cueva y les pide Sr. Ratón Viejo, "¿Algúien de ustedes conoce a la Princesa TwinkleToes, princesa del bosque, o a Princesa Orahava, princesa de amor?"

En poco tiempo llegan las luciérnagas con Princesa Orahava.

Habla Sr. Ratón Viejo." Gracia por venir. Tengo dos amigas desprovistas por la tormenta. Tienen dos hermanos perdidos. ¿Puede buscarlos? Se llaman JimJim y Joe."

Princesa Orahava sonríe y responde," Con mucho gusto. ¿Cómo se llaman sus amiguitos aquí?"

Sr. Ratón Vieja suspiria. "Son Katie y Mary. ¿Puedes invitar a unos de sus amigos a visitarlas? Están soledosas."

Katie y Mary se sienten un poco mas comfortables ahora y comienzan a comer frutillas dulces. Mas tarde las ratoncitas se duermen. En la mañana, alguien canta en frente de la cueva.

Katie y Mary corren a la entrada y piden," ¿Quién es?"

Los pájaros chirrian, "Somos una escuela de pájaros cantantes. Nos gusta cantar. Chirri, chirri, chirri, olé, olé olé ya, ya. Ayer su yogur amarillo gritó yahoo. Henry Felíz tiene su casa aquí. La, la, la, la. "Sonriendo, los pájaros señalan adiós y salen.

Katie se sienta y comienza a dibujarlos.

Mary pide al visitante siguiente," ¿Quién es?" El siguiente es un oruga amarilla y dice a todos," Hola. Soy Dilly Dally Sally. Much gusto. Yo sé qué sus visitantes siguientes son muy quietos. Son dos hermanos gusanos. Se llaman Iggily Piggily y Wiggily Squiggily. Sus esposas son Giggily Tiggily y Jiggily Figgily." Las esposas apoyan a sus niños, Ciggily Higgily y Biggily Miggily. Todos sonríen al dibujo qué hace Katie y los gusanos salen muy despacio.

Katie pide a unos patitos," ¿Qué hace?" Los patitos responden, "Estamos practicando ejercicios de las alas." Sacuden las alas y gritan," Uno, uno, dos, dos, tres, tres, cuatro, cuatro. Nos gusta cantar. Andamos como pato, anadeamos como pato, somos orgullosos a ser patos. "Un patito acerca en frente y dice, "Por favor, vengan a visitarnos. Me llamo Donald." Los patitos saludan y sonríen mientras salen de la cueva.

Cuando Sra, Zorilla y sus tres bebés vienen a visitar, Mary exclama," Qué chulos son."

Bam, bam, bam suena un ruido fuerte del fondo de la cueva. Sr. Oso Negro está despertándose y muestra a todos que está muy enojado. Parece que todos corren de la cueva gritando.

Pero no todos salen corriendo. Sra. Zorilla y sus niños quedan allá. Sra. Zorilla gruñe a él. "Arruinó nuestra visita con las ratoncitas."

Gruñe Sr. Oso Negro, "No me importa lo que dices o haces."

Sra. Zorilla replique, "No es amable, así compartimos nuestro perfume contigo." Ella y sus hijos forman una línea y rocían y rocían y rocían. El oso grita y llora como un bebé y corre al bosque.

En este momento, en el aire arriba, se oyen muchas voces. Sr. Ratón Viejo suspira un favor de sus amigos, y cuando llegan JimJim y Joe a reunirse con sus hermanas, la banda de grillos toca, y todos están cantando y bailando y comiendo, especialmente frutillas.

JimJim se sienta al lado del Sr. Ratón Viejo y dice, "Muchas gracias para cuidar a Katie y Mary. Nos preocupábamos mucho. Deseamos presentarse a nuestros padres. Usted es un amigo muy especial, con el nombre raro de ZanderZander."

Sr. Ratón Viejo sonrie y dice, "Tienes una familia muy buena.Me gustaría mucho conocer a tus padres. Tú también tiene un nombre raro, de JimJim. ¿Cómo se occure ese nombre?"

JimJim responde, "Me impresioné a mi padre cuando engañe al Señor Buho. Un dia, cuando estaba caminando en una senda, di la vuelta y allá estaba Sr. Buho, unos cinco pasos en frente de mí, pero me parece que estaba directamente arriba de mí."

"Yo te tengo exactamente donde quiero," grita el buho.

Miré al Sr. Buho y dije, "Soy Jim. Soy defabulado. Estaba fabuloso, pero ahora solo soy blub, blub, blub."

Sr. Buho murmuró y tartamudeó. "¿Qué es defabulado?" Sr. Buho volvió la cabeza en una dirección y la otra. Entonces enrollo los ojos y agito la cabeza de nuevo. Cuando buscó abajo, no estaba allá. He corrido a los arbustos. Sr. Buho gritó y gritó. "Oye, oye. ¿Adónde fuiste?"

Otros pájaros oyen los gritos del buho y dicen a todos que yo he confundido a él. Ahora me conocen como ratoncito fabuloso y como JimJim.

Sr. Ratón Viejo inclina la cabeza, sonríe y dice, "JimJim, eres definitivamente fabuloso."

De repente grita Joe," Atención todos. Hace mucho viento.Viene otra tormenta. Necesitamos refugiarnos."

Por fin, después de buscar y buscar, encuentran un lugar bueno debajo de unos raices.

Aquella noche, JimJim y sus hermanos están muy cansados. Pero durante la noche, todos se despiertan porque oyen al Sr. Buho haciendo ruidos que parecen muy cerca de ellos. Sr. Buho llama, "Uu, uu, estoy buscándoles. Me engañaron. Ahora deseo venganza."

Los ratoncitos oyen las alas del buho cuando aterriza en el árbol debajo de que están escondidos. Todos los ratoncitos muevan mas atrás de los raices.

Pum. Sr. Buho aterriza en el terreno al lado del árbol.

Silencio. Ni un ratoncito mueva. Por fin oyen las alas del buho cuando sale. JimJim respira y piensa a si mismo," Silencio nunca ha sonido tan bonito. Estamos seguros."

De repente, la tierra suave debajo de los raices cae. Mary grita, "Ayúdame. Estoy cayendo. "Ella grita de abajo, "Tengo miedo. Pienso que estoy bien pero no puedo subir de aquí."

JimJim, tratando de quedar tranquilo, conforta. "¿Mary, te lastimas? ¿Es demasiado escarpado de subir?"

Joe, mirando al hueco, pide," ¿Mary, si empujamos tierra en el hueco, puedes subir?"

Mary, llorando ahora, dice, "Sí, puedo tratar."

JimJim, Joe y Katie alternan turnos empujando tierra en el hueco, tienen cuidado de no enterrar a su hermanita. Por fin grita Mary, "Basta. Déjeme tratar." Despaciosamente, Mary sube, tomando pasos grandes, y por fin sale del hueco. Todos se abrazan. Ni JimJim ni Joe ni Mary ni Katie durmió mas aquella noche.

 En la mañana, después de una bocadillo del desayuno, Katie y Mary practican una frase suave, entonces en voces mas altas. Juntas, recitan, "Hemos divertídonos mucho, hemos sufrido por aventuras espantosas, conocían a amigos nuevos, pero ahora deseamos regresar a casa."

JimJim sonría y responde, "¡Pues, necesitamos encontrar bayas y flores para los padres y sorprenderlos!"

Todos empiezan a buscar las bayas y flores, pero paran cuando ven una mariposa bonita bailando en frente de ellos. La mariposa dice, "Soy Dilly Dally Sally. Era una oruga pero cambié. ¿Me recuerdan? Era una oruga amarilla. Todo el mundo cambia. Cambiamos formas. Llegamos a ser mas grande, mas viejo, todos los días. La cosa mas importante es siempre sonríe y estar felíz. Por favor, síganme. Yo sé exactamente donde se pueden encontrar bayas y flores muy bonitas."

Katie hace su último dibujo de presentar a Mamá y Papá. Los ratoncitos cojen flores y bayas y corren a casa.

Al llegar a casa, todos abrazan y besan y relatan a sus padres sus aventuras.

Papa Ratón levanta y dice, "Pues, parece que nuestros hijos ya son todos adultos. En el futuro, se llamaran JimJim, JoeJoe, KatieKatie, y MaryMary. Tenemos mucho orgullo en Ustedes. ¿Cómo les gustan sus nombres nuevos?"

JoeJoe grita, "Bazinga, bazinga, bazinga."

"Olé, pum, pum" declara KatieKatie.

MaryMary grita en voz alta, "oye, oye."

"¿Que aprenden?" pide Mama.

MaryMary piensa un momento y responde, "Pues, aprendí que la oruga cambia en una mariposa bonita. Aprendí cuanto me ama mi familia y cuanto yo les amo."

KatieKatie dice, "Tenemos muchos amigos en el bosque. Aprendí que hay peligro de todas partes y que siempre tenemos que ser preparados. Dibujé unos retratos de nuestro viaje." KatieKatie saca los dibujos de su bolsa a compartir con todos.

JoeJoe sonríe. "Aprendí cómo respetar a todos. Escuché al Sr. Bicho Apesta y él nos advirtió de Rusty el Halcón. Ahora Sr. Bicho Apesta es un buen amigo."

JimJim dice, "Aprendimos que no debe permitir cosas malas de aruinar el día, porque no son cosas malas sino lecciones. También aprendimos que cuando uno da bondad, recibe bondad. Gracias para darnos esa oportunidad de explorar por si mismos." JimJim saca algo de su bolsillo y dice, "Aquí son unas frutillas de nuestro amigo Sr. Ratón Viejo."

Mamá y Papá comparten una frutilla y gritan, "Fuego, caliente, caliente." Nunca han probado canela antes.

Papa Ratón dice, "Es hora para un abrazo familial. La famíla forma un círculo con abrazos y riés.

~FINIS~

DEL AUTOR

Duane Ziegler fue criado en una granja en North Dakota con cinco hermanos. La atraccion de campos de trigo, pasturas y llanuras onduladas era fuerte. Pero las montanas de Colorado ha sido la mayor influencia en su vida. Duane Ziegler ha sido un educador profesional por veinte anos y un agente de bien raices por veinte tres. Es miembro de SCBWI, Colorado Author's League y Roaring Fork Writers Group. Su familia inmediata incluye su esposa Sandy, dos hijos, DeAnn y Nathan, y tres nietos. El da gracias a toda la gente que le ha soportado en la creacion de esta novela para ninos. Del Autor

DE LA ILLUSTRADORA

Vari Reichardt crio en un rancho de ganado en las montanas de Colorado. Arte fue una parte grande de su vida mientras paso tiempo en el aire libre cuidando a los animales y caminando en los colmos. Gano su bachillerato en Arte con sus obras publicado en el Historical Journal of Western Colorado. Vari ha ensenado arte a ninos por muchos anos y tambien es maestra de escuela de parvulas. Esta casada y tiene siete hijos que ha ensenado en casa en el mismo pueblo donde crio.

40653530R00020

Made in the USA
San Bernardino, CA
25 October 2016